The Blockade Swallow

The Blockade Swallow

Selected Poems of Olga Berggolts

Translated by Venya Gushchin

Smokestack Books
1 Lake Terrace,
Grewelthorpe,
Ripon HG4 3BU

e-mail: info@smokestack-books.co.uk

www.smokestack-books.co.uk

ISBN 9781838465360

Smokestack Books
is represented
by Inpress Ltd

to my grandmother Inna Persina,
who was evacuated during
the Blockade of Leningrad

Содержание

Contents

Introduction

Olga Berggolts (1910–1975) was born in St. Petersburg, the city – later renamed Leningrad – that would come to define her legacy. She began writing poetry at the age of six, receiving praise from Maxim Gorky early in her career and joining the Union of Soviet Writers in 1934. Though she would eventually become one of the most officially decorated poets of her generation for her service during the Siege of Leningrad, her pre-war life did not fit into a neat state-sanctioned narrative. In 1938, she was detained for 171 days in connection with the 'Averbakh Case', accused of taking part in a Trotskyist conspiracy. Afterwards, she was fully exonerated. Over the course of her life, she lost two of her husbands and three children, including a stillborn daughter she gave birth to in prison.

During the Great Patriotic War, Berggolts worked at the Leningrad Radio House, giving speeches and reciting her poems to the citizens of the city throughout the 872-day Blockade (8 September 1941–27 January 1944) to lift their spirits and inspire them to persevere in the bleakest of conditions. Even more stunning are her nearly immediate reactions to the beginning of the blockade as she writes:

> ...I've never lived with such force
> before that autumn.
> I've never been so beautiful
> and so in love...

The siege was one of the longest and most destructive in all of human history – up to 1,500,000 soldiers and civilians died from the bombardment or from starvation, including Berggolts' second husband. The Blockade of Leningrad remains a defining event for the city to this day, and Berggolts' spiritual and moral contribution, poems such as 'Conversation with a Neighbour' and 'Verses on a Friend' to its history lives on. For her heroism she received the Medal 'For the Defense of Leningrad'. After the war, she continued to write poetry and other works, largely dedicating herself to preserving the memory of the Blockade.

Her immortal words 'No one is forgotten, nothing is forgot' are engraved in the Pskaryovskoye Memorial Cemetery, commemorating those lost during the Blockade. Berggolts is a poet of witness and persistent memory. She recorded the most tragic and traumatic events in her personal life and Russian history.

The poet's dedication to anamnesis extends beyond her creative writing. In a speech at the 1954 Congress of the Soviet Writers' Union, Berggolts passionately defended the genre of lyric poetry in the era of socialist realism. The lyric, according to the poet, is valuable as an expression of an individual's emotional and psychological state, allowing for the identification of the average citizen. Without poetry, literature's ability to represent reality would be incomplete. Berggolts' appeal led to a recuperation of poetic subjectivity in a literary scene that tended to see personal expression as symptomatic of 'bourgeois individualism'. Indeed, individual expression is the most compelling aspect of her verse, which, according to critic and writer Andrei Sinyavsky, is driven not so much by Berggolts' words, so much as by the palpable presence of her voice through her intonation. This primacy of intonation and literal voice extends lends her poetry an unparalleled rawness and immediacy, as she calls out to song itself in one of her later lyrics: 'At least a whisper or a moan of pain/At least the quiet clinking of your chain'. By straddling the public and private spheres, Berggolts was able to make the argument that lyric personality was not a betrayal of socialist ideals. Poetry still had a vital place in the lives of everyday citizens.

Berggolts is part of a larger generation of Soviet poets that includes Konstantin Simonov and Aleksandr Tvardovsky. Stranded between the fin-de-siècle Silver Age and the generation of the 1960s, this sadly overlooked range of voices is a key part of the development of Russian literature and remains significant to this day. This volume includes poems in which Berggolts contemplates her own relationship to the larger Russian literary canon – 'Anna Akhmatova, Leningrad 1941' and 'To Yevgeny Lvovich Shvartz' – and gives her own opinion on the emerging post-war literary scene – 'While we're on the subject' – in order to draw special attention to her belief in the continuity of the

Russian poetic tradition. Though many of her poems are public-facing, upholding an official image and contributing to her role as a symbol for the resilience of Leningrad and its citizens under siege, they are also deeply sincere, lacking the doubled self-perception that typically accompanies literary celebrity. This blurring of the distinction between public and private pushes back on a simplistic narrative of pro-regime vs. dissident poets that often colours discussions of Soviet literature. Berggolts, like many of her contemporaries, navigated the duelling drives of telling her personal truth and adhering to official ideology and, through it all, remained truly herself.

Poet and scholar Polina Barskova, writing about poets who bore witness to the Blockade from various perspectives, suggests that this cataclysmic event did not give birth to a new poetics. In fact, long before the 1940s Berggolts felt a 'vatical unease' about some event looming on the horizon, and her pre-Blockade poetry similarly reflects many of her traumatic personal experiences. While the Blockade is undeniably a key event in Berggolts' life and major part of her legacy, this volume aims to present a fuller portrait of her work, giving special attention to her early poetic experiments and later reflections on her path through life.

Berggolts' poetic oeuvre, Sinyavsky claims, is overwhelming defined by tragedy and loss. While acknowledging the basic validity of this reading, I want to recover moments of levity and playfulness in Berggolts' poems. In her first poems, these moments can be read as childish naiveté, but, in reality, betray an early interest in deep introspection, merely couched in 'lighter' forms. These moments serve as the basis for the more hopeful texts in her later period, lyrics such as 'Indian Summer' and 'That year'. Despite all the tragedies in her life, both on a personal and grand historical level, Berggolts demonstrates astounding resilience and arrives at a faith in the future beyond all reason. Reading her in our contemporary moment, defined by an ongoing pandemic, political tension, and the looming threat of ecological collapse, we are reminded of the human capacity to face great misfortune and still envision a brighter tomorrow. This collection's title and the eponymous poem,

'Blockade Swallow' acknowledges the suffering of her life and imagines a hope despite it all:

> Oh find me, come and burn by me
> as was promised to me long ago
> by all that was – even that silly
> swallow – all that was during the war...

Venya Gushchin
New York, 2022

Я петь не люблю в предосенних полях

Я петь не люблю в предосенних полях, –
слабеет, склоняется голос,
заходит синеющим кругом земля,
ложится беспесенной, голой...

Я в лес убегаю (а дома скажу:
по ягоды собираюсь),
а что собирать-то – пою, да брожу,
да новое запеваю.

Ни звука в глубокой пучине лесной,
всё мертво, всё пусто, всё тленье...
Но древнее эхо заводит со мной
дремучее, дальнее пенье.

Меня обступают прозрачной стеной
стволы красноватые сосен.
Я слышу – высоко заводит со мной
моя журавлиная осень...

О, певчее, звонкое горло мое,
как весело мне с тобою!
Как радостно знать мне,
что ты запоешь
товарищам перед боем.

Глушино, 1925

I don’t like singing in pre-autumn fields

I don’t like singing in pre-autumn fields,
my voice grows weaker, faded.
The earth is dancing its bluish circle,
before it lies down, songless, naked.

I run away to the forest (I’ll say
I’ve gone to gather berries),
but instead I’m wandering away,
searching for something new to sing.

All silence in the forest abyss,
all dead and empty, withering.
But then an ancient echo starts to sing
its dense and distant song with me.

The reddish trunks of pines
walk around me as a see-through wall.
I hear my autumn of cranes
starting up a song from high above.

Oh, my ringing voice,
how joyful I’m with you!
How glad I am to know
that soon you will be singing
to my comrades before battle.

1925, Glushino

Про аистов и журавлей

Про аистов и журавлей
бездомная песня запета...
Легко у спокойных полей:
ни мрака, ни яркого света.

Уже камыши холодны,
густеет речная прохлада.
Я знаю, что с той стороны
ты смотришь на это же стадо.

А я никогда не люблю,
ни близких, ни дальних друзей.
Бездомные песни пою
про аистов и журавлей...

Октябрь 1928

About the passing storks and cranes

About the passing storks and cranes
a vagrant song is faintly sung.
It's easy by the tranquil fields:
without the light, without the dark.

Already the reeds have grown cold,
the river chill has fallen thick.
I know that on the other side
you're standing, watching the same flock.

But there is no one that I love
among my near and distant friends.
I faintly sing my vagrant songs
about the passing storks and cranes.

October 1928

Еще редактор книжки не листает

Еще редактор книжки не листает
с унылой и значительною миной,
и расторопный критик не ругает
в статье благонамеренной и длинной,
и я уже не потому печальна:
нет, всё, что днями трудными сияло,
нет, всё, что горько плакало ночами, –
не выплакала я, не рассказала.

Я – не они – одна об этом знаю!
О тайны сердца, зреющего в бури!
Они ревнуют, и они ж взывают
к стихам...
    И ждут, чело нахмурив...

1940

The editor has yet to read my draft

The editor has yet to read my draft,
to flip through with a bored and serious look.
The thorough critic too has yet to craft
his harsh but fair appraisal of my book.
But that is not the reason why I'm sad:
No, all that was shining through the trying days,
no, all that was sobbing through the bitter nights –
I haven't told, haven't cried it all away.

It's only me – not them – who knows about
the secrets of a heart in tempests grown!
They envy me and so can but call out
for my poems...
        and wait with furrowed brow...

1940

Все пою чужие песни

Все пою чужие песни
о чужой любви-разлуке.
О своей – неинтересно,
только больше станет скуки.

Все прислушиваюсь к этим
песням, сложенным другими,
значит, не одна на свете
я с печалями своими?

Милые мои, хорошие,
неизвестные друзья,
значит, все вы были брошены
иль не найдены, как я?

Значит, минет? Значит, сбудется!
Значит, песня обо мне
никогда не позабудется
в нашей дружной стороне?

1936

I keep on singing others' songs

I keep on singing others' songs
about their loves and losses.
It's boring to sing about your own:
it only brings ennui and dullness.

I intently listen in to those
touching songs that others wrote.
I guess that I am not alone
with heartbreak in the world.

My dear and lovely friends,
friends I have yet to meet,
does this mean that you were left
or stay unnoticed, just like me?

Will love pass? Will it come true?
Will these songs I sing about
myself always stay with you,
my friends that I have found?

1936

Я так боюсь, что всех, кого люблю

Я так боюсь, что всех, кого люблю,
   утрачу вновь...
Я так теперь лелею и коплю
   людей любовь.

И если кто смеется – не боюсь:
   настанут дни,
когда тревогу вещую мою
   поймут они.

Май 1941

I’m so afraid that I will lose the ones

I’m so afraid that I will lose the ones
I love once more...
And so for now I hold on to their loves
to keep and store.

And if they laugh – ‘I’m not afraid at all’:
there’ll come a time
when they will understand this vatical
unease of mine.

May 1941

Песня о ленинградской матери

Двадцатое августа 1941 года.
Ленинград объявлен в опасности.

Вставал рассвет балтийский, ясный,
когда воззвали рупора:
– Над нами грозная опасность.
Бери оружье, Ленинград! –
А у ворот была в дозоре
седая мать двоих бойцов,
и дрогнуло ее лицо,
и пробежал огонь во взоре.
Она сказала:
            – Слышу, маршал.
Ты обращаешься ко мне.
Уже на фронте сын мой старший,
и средний тоже на войне.
А младший сын со мною рядом,
ему семнадцать лет всего,
но на защиту Ленинграда
я отдаю теперь его.
Иди, мой младший, мой любимый,
зови с собой своих друзей.
Да не падет на дом родимый
бесчестье плена и плетей!
Нет, мы не встанем на колени!
Не опозорить, не попрать
тот город, где Владимир Ленин
учил терпеть и побеждать.
Нет, осиянный ратной славой,
великий город победит,
мстя за Париж, и за Варшаву,
и за твою судьбу, Мадрид.

Song of a Leningrad Mother

20 August 1941.
Leningrad is under attack.

The call rang from the megaphone
around the clear and Baltic dawn:
'The threat has come to our home.
Oh, Leningrad, take up your arms!'
Grey mother of three fighting men
was keeping vigil at the gate.
A tremor shot across her face.
her eyes were set ablaze and then
she said:
            'I hear you, marshal.
This is a call I can't ignore.
My eldest and my middle boy
are both already off at war.
My youngest son is by my side.
Though he is only seventeen,
For the defence of Leningrad
Without delay I give you him.
Go on, my dear, my youngest son!
And call together all your friends.
For our home will not succumb
to shameful victimhood and chains.
The city, where Comrade Lenin
had taught us strength and patience,
will never kneel to enemies,
will never know humiliation.
Our mighty city proudly carries
a glory shining from within
We will avenge you, Warsaw, Paris,
we will avenge your fall, Madrid.'

...На бранный труд, на бой, на муки,
во имя права своего,
уходит сын, целуя руки,
благословившие его.

И, хищникам пророча горе,
гранаты трогая кольцо,–
у городских ворот в дозоре
седая мать троих бойцов.

20 августа 1941

...and to the frontline off he went
to bear his truth into the fray.
Before he left, the young boy kissed
the hands that blessed him on his way.

Her finger on the grenade pin,
foretelling foes a sorry fate,
grey mother of three fighting men
keeps vigil at the city gate.

20 August 1941

Из блокнота сорок первого года

1

...Видим – опять надвигается ночь,
и этому не помочь:
ничем нельзя отвратить темноту,
прикрыть небесную высоту...

2

Я не дома, не города житель,
не живой и не мертвый – ничей:
я живу между двух перекрытий,
в груде сложенных кирпичей...

3

О, это явь – не чудится, не снится:
сирены вопль, и тихо – и тогда
одно мгновенье слышно – птицы, птицы
поют и свищут в городских садах.

Да, в тишине предбоевой, в печали,
так торжествуют хоры вешних птиц,
как будто б рады, что перекричали
огромный город, падающий ниц...

4

В бомбоубежище, в подвале,
нагие лампочки горят...
Быть может, нас сейчас завалит.
Кругом о бомбах говорят...

...Я никогда с такою силой,
как в эту осень, не жила.
Я никогда такой красивой,
такой влюбленной не была...

from The Notebook of Autumn 1941

1

...We see – the night is encroaching,
and there's nothing to be done:
no way to open up the darkness,
to cover the height of the heavens...

2

I'm not at home, not of the city folk,
neither alive or dead – belong to no one,
I live between two overhangs,
in a pile of bricks...

3

Oh this is reality – no illusion, no dream:
the siren yelping, then quiet – then
all at once – the birds, the birds
in the city gardens sing and chirp.

Oh, in the pre-battle silence and grief,
the springtime birds are a triumphant choir,
as if glad that they have yelled over
the enormous city brought to its knees...

4

In the bomb shelter basement,
naked lightbulbs burn,
Maybe everything will collapse around us.
all the talking about bombs...

...I've never lived with such force
before that autumn.
I've never been so beautiful
and so in love...

5

Да, я солгу, да, я тебе скажу:
– Не знаю, что случилося со мной,
но так легко я по земле хожу,
как не ходила долго и давно.
И так мила мне вся земная твердь,
так песнь моя чиста и высока...
Не потому ль, что в город входит смерть,
а новая любовь недалека?..

6

...Сидят на корточках и дремлют
под арками домов чужих.
Разрывам бомб почти не внемлют,
не слышат, как земля дрожит.
Ни дум, ни жалоб, ни желаний...
Одно стремление – уснуть,
к чужому городскому камню
щекой горящею прильнуть...

Сентябрь 1941

5

Oh I will lie to you and say:
'I don't know what's happened to me,
but it's easy stepping on the earth,
like it's never been before.
And the dry land is so dear to me,
so pure and high my song...
isn't it because death is entering the city,
and a new love is on the horizon?'

6

...They're crouching, dozing off
beneath the overhang of houses strange.
They just about can't hear the bombs
exploding, earth shaking underneath.
They have no thoughts, complaints
or wishes – they only aim to sleep,
to rest their burning cheeks on
the strange pavement of their city...

September 1941

Молитва

Полземли в пожаре и крови,
светлые потушены огни...

Господи, прости, что в эти дни
начала я песню о любви.

Слышу стон людской и детский плач,
но кого-то доброго молю:
там, где смерть, и горе, и зола,
да возникнет песнь моя светла,
потому что я его люблю.

Потому что я его нашла
прежде как солдат, а не жена,
там, где горе было и зола,
там, где властвовала смерть одна.

Может быть, когда-нибудь казнишь
тем, что на земле страшней всего, –
пусть, я не скрываю – в эти дни
пожелала я любви его.

Матери просили одного –
чтобы на детей не рухнул кров;
я вымаливала – сверх всего –
неизвестную его любовь.

Воины просили одного –
чтоб не дрогнуть в тягостных боях,
я вымаливала – сверх всего –
пусть исполнится любовь моя.

A prayer

Half the world is flame and blood.
The lights have all gone out...

Forgive me, Lord, that now
I will begin to sing of love.

I hear the moans, the child crying,
but I am praying nonetheless:
through death and woe and ash,
may my song come into being,
because I love him.

because I found him
as a soldier, not as a wife-to-be,
amid the woe and ash,
where death alone was king.

perhaps, you'll someday torture
me with the horrors of the earth,
let it be so – I won't deny that now
I'm wishing for his love.

mothers are only asking for
a sturdy roof above their young.
But I am only begging for
his still mysterious love.

the soldiers are only asking for
fortitude in thrashing battles.
But above all, I am begging for,
for love to finally happen.

Господи, я не стыжусь – о нет, –
ни перед людьми, ни пред Тобой,
и готова я держать ответ
за свершенную свою любовь...

1944

Lord, I am not ashamed at all
before my people, before you,
and I'm prepared to answer for
the love you've made come true.

1944

Сестре

Первые бомбардировки Ленинграда, первые артиллерийские снаряды на его улицах. Фашисты рвутся к городу. Ежедневно Ленинград говорит со страной по радио.

Машенька, сестра моя, москвичка!
Ленинградцы говорят с тобой.
На военной грозной перекличке
слышишь ли далекий голос мой?
Знаю – слышишь. Знаю – всем знакомым
ты сегодня хвастаешь с утра:
«Нынче из отеческого дома
говорила старшая сестра».
...Старый дом на Палевском, за Невской,
низенький зеленый палисад.
Машенька, ведь это – наше детство,
школа, елка, пионеротряд...
Вечер, клены, мандолины струны
с соловьем заставским вперебой.
Машенька, ведь это наша юность,
комсомол и первая любовь.
А дворцы и фабрики заставы?
Труд в цехах неделями подряд?
Машенька, ведь это наша слава,
наша жизнь и сердце – Ленинград.
Машенька, теперь в него стреляют,
прямо в город, прямо в нашу жизнь.
Пленом и позором угрожают,
кандалы готовят и ножи.
Но, жестоко душу напрягая,
смертно ненавидя и скорбя,
я со всеми вместе присягаю
и даю присягу за тебя.

To My Sister

The first bombings of Leningrad, artillery fire falling on the streets. The German army is rushing to the city. Leningrad is sending updates on the radio every day.

Mashenka, my sister in Moscow!
Leningrad is on the line.
Can you hear my voice
along this wartime headcount?
I know you're telling all your friends,
all excited, moved, and proud:
'I was just talking with my big sister
from our old house.'
...Our old home on Palevsky,
its low green palisade.
Mashenka, that was our childhood,
school, holidays, the pioneer squad...
Evening, maple trees, mandolin strings
competing with the outpost nightingale.
Mashenka, that was our youth,
our first heartbreaks, joining Komsomol.
And the factories by the outpost?
Hard work for weeks on end?
Mashenka, that was our glory,
our life and heart - our Leningrad.
Mashenka, we're under heavy fire,
the enemy around our city, our life,
threatening with capture and dishonor,
readying their chains and knives.
But hardening my soul,
turning to my hate and grief,
I swear my oath with everyone,
I swear my oath on your behalf.

Присягаю ленинградским ранам,
первым разоренным очагам:
не сломлюсь, не дрогну, не устану,
ни крупицы не прощу врагам.
Нет. По жизни и по Ленинграду
полчища фашистов не пройдут.
В низеньком зеленом полисаде
лучше мертвой наземь упаду.
Машенька, мы встретимся с тобой.
Мы пройдемся по заставе милой,
по зеленой, синей, голубой.
Мы пройдемся улицею длинной,
вспомним эти горестные дни
и услышим говор мандолины,
и увидим мирные огни.
Расскажи ж друзьям своим в столице:
«Стоек и бесстрашен Ленинград.
Он не дрогнет, он не покорится, –
так сказала старшая сестра».

12 сентября 1941

I swear on Leningrad's wounds,
and on its ravaged hearths:
I will not break or stall or tire,
I will not forgive the enemy a thing.
No. Hordes of fascists will not step
on my life, on my Leningrad.
I'd rather drop dead on the ground
in my low green palisade.
Mashenka, we will meet again.
We will stroll along our outpost dear,
along the blue, along the green.
we will stroll along the street,
remembering these woeful days,
and hear the chattering of mandolins,
and see the peaceful fireside.
Tell your friends in the capital:
'Leningrad is standing fearless.
It will not waver, it will not fold;
That's what my big sister said.'

12 September 1941

Осень 1941

Я говорю, держа на сердце руку,
так на присяге, может быть, стоят.
Я говорю с тобой перед разлукой,
страна моя, прекрасная моя.

Прозрачное, правдивейшее слово
ложится на безмолвные листы.
Как в юности, молюсь тебе сурово
и знаю: свет и радость – это ты.

Я до сих пор была твоим сознаньем.
Я от тебя не скрыла ничего.
Я разделила все твои страданья,
как раньше разделяла торжество.

...Но ничего уже не страшно боле,
сквозь бред и смерть
          сияет предо мной
твое ржаное дремлющее поле,
ущербной озаренное луной.

Еще я лес твой вижу
          и на камне,
над безымянной речкою лесной,
заботливыми свернутый руками
немудрый черпачок берестяной.

Как знак добра и мирного общенья,
лежит черпак на камне у реки,
а вечер тих, не слышно струй теченье,
и на траве мерцают светляки...

Autumn 1941

I say this, hand on my heart,
something like taking an oath,
I say this to you, before we part,
my great country, my great home.

My word, transparent and honest,
lands on the quiet leaves.
As in my youth, my prayer is solemn:
you are a guiding light to me.

I have been your feeling.
I had nothing to hide from you.
I shared in all your suffering
just as I shared in all your triumphs.

...But nothing scares me anymore:
through delirium and death
I see
your field of rye in daydream,
illuminated by the waning moon.

I see your forest
and on the stone
above the nameless woodland stream,
there is a birchbark ladle
fashioned by careful hands.

As a sign of goodness and peace
lies the ladle on the stone.
And the wind is low,
the stream carries on inaudibly
and fireflies are glinting in the grass...

О, что мой страх,
что смерти неизбежность,
испепеляющий душевный зной
перед тобой – незыблемой, безбрежной,
перед твоей вечерней тишиной?

Умру, – а ты останешься как раньше,
и не изменятся твои черты.
Над каждою твоею черной раной
лазоревые вырастут цветы.

И к дому ковыляющий калека
над безымянной речкою лесной
опять сплетет черпак берестяной
с любовной думою о человеке...

Сентябрь 1941

Oh what of my fear,
what of certain death,
what of the scorching heat inside my soul
when I stand before your unflinching vastness,
before your sunset hour calm?

I'll die, but you'll remain the same,
your features never changing.
Azure flowers will bloom again
atop your every blackened wound.

And the wounded soldier limping home
will pass that unnamed woodland stream
and fashion once more the birchbark ladle
thinking of his love for humanity.

September 1941

Разговор с соседкой

5 декабря 1941 года. Четвертый месяц блокады.
Воздушная тревога звучит по 10–12 часов в сутки.
Ленинградцы получают по 125–250 граммов хлеба.

Дарья Власьевна, соседка по квартире,
сядем, побеседуем вдвоем.
Знаешь, будем говорить о мире,
о желанном мире, о своем.

Вот мы прожили почти полгода,
полтораста суток длится бой.
Тяжелы страдания народа –
наши, Дарья Власьевна, с тобой.

О, ночное воющее небо,
дрожь земли, обвал невдалеке,
бедный ленинградский ломтик хлеба –
он почти не весит на руке...

Для того чтоб жить в кольце блокады,
ежедневно смертный слышать свист –
сколько силы нам, соседка, надо,
сколько ненависти и любви...

Столько, что минутами в смятенье
ты сама себя не узнаешь:
«Вынесу ли? Хватит ли терпенья?
– «Вынесешь. Дотерпишь. Доживешь».

Дарья Власьевна, еще немного,
день придет – над нашей головой
пролетит последняя тревога
и последний прозвучит отбой.

Conversation with a Neighbour

5 December 1941. The fourth month of the blockade.
The air-raid alarms are sounding 10-12 hours a day.
The citizens of Leningrad receive 125–250 grams of bread.

Daria Vlasyevna, my dear flatmate,
come sit here and talk with me.
You know, let's talk about peace,
the peace we want, all we hold dear.

We've lived here about half a year,
the fight is raging endlessly.
Heavy is the people's suffering,
heavy too for you and me.

The sky is thrashing in the night,
the ground collapsing up ahead,
my hand can barely feel the weight
of our rationed bit of bread.

To hear the daily whistling of death
and to survive the circling blockade
we need to muster all our courage,
all our love and all our hate.

You wavering momentarily
is someone you don't recognize.
'Can I do this? Will I make it?'
'You'll make it, you'll survive.'

Daria Vlasievna, just a bit longer,
the day will come – above our heads
the final siren will go off,
and we will hear the last retreat.

И какой далекой, давней-давней
нам с тобой покажется война
в миг, когда толкнем рукою ставни,
сдернем шторы черные с окна.

Пусть жилище светится и дышит,
полнится покоем и весной...
Плачьте тише, смейтесь тише, тише,
будем наслаждаться тишиной.

Будем свежий хлеб ломать руками,
темно-золотистый и ржаной.
Медленными, крупными глотками
будем пить румяное вино.

А тебе – да ведь тебе ж поставят
памятник на площади большой.
Нержавеющей, бессмертной сталью
облик твой запечатлят простой.

Вот такой же: исхудавшей, смелой,
в наскоро повязанном платке,
вот такой, когда под артобстрелом
ты идешь с кошелкою в руке.

Дарья Власьевна, твоею силой
будет вся земля обновлена.
Этой силе имя есть – Россия
Стой же и мужайся, как она!

5 декабря 1941

And then the war will seem to us
from far away and long ago,
the moment when we push the shutters
and break the curtains from the window,

Let our flat fill up with spring,
and it will at last breathe free.
We'll cry and laugh a little softer,
and just take pleasure in the peace.

Our hands will break the bread
fresh from the dark-gold rye.
With slow and greedy gulps
we will drink our blush-red wine.

And you – you'll surely get
a statue on a big square.
In never rusting, deathless steel
your simple face will shine forever.

Just as I see you: gaunt and brave,
a scarf tied quickly on your head,
just as I see you – bombs are falling:
and you're still walking – bag in hand.

Daria Vlasyevna, by your might,
spring will come to all the earth:
you are the force of Russia.
Stand up bravely, just like her!

5 December 1941

Романс стойкого оловянного солдатика

1

В синем сапоге,
на одной ноге,
я стою пред комнаткой твоей...
Буки не боюсь,
не пошелохнусь –
всюду помню о любви своей!

Пусть и град, и гром,
пусть беда кругом –
я таким событьям только рад.
Охватив ружье,
с песней про Нее –
крепче на ноге держись, солдат.

2

В синем сапоге,
на одной ноге,
под твоим окошечком стою.
Буки не боюсь,
не пошелохнусь,
охраняю милую мою.

Пусть беда кругом,
пусть и град, и гром –
никогда не отступай назад!
Охватив ружье,
с песней про Нее –
крепче на ноге держись, солдат!

Осень 1940

The Song of the Steady Tin Soldier

1

In my blue boot,
on my one foot,
I stand before your little room...
I fear no boogeyman,
unwavering, I'll stand,
remembering my love for you!

Let it hail, let it storm,
let troubles round us swarm,
I will face them filled with joy.
I'll hold my rifle tight,
and sing Her song all night –
hold fast and steady, soldier boy!

2

In my blue boot,
on my one foot,
I stand below your windowsill.
I fear no boogeyman,
unwavering, I'll stand,
defending proud my dear from ill.

Let troubles round us swarm,
let it hail, let it storm,
keeping marching, stay on point!
I'll hold my rifle tight,
and sing Her song all night –
hold fast and steady, soldier boy!

Autumn 1940

Дорога на фронт

...Мы шли на фронт по улицам знакомым,
припоминали каждую, как сон:
вот палисад отеческого дома,
здесь жил, шумя, огромный добрый клен.

Он в форточки тянулся к нам весною,
прохладный, глянцевитый поутру.
Но этой темной ледяной зимою
и ты погиб, зеленый шумный друг.

Зияют окна вымершего дома.
Гнездо мое, что сделали с тобой!
Разбиты стены старого райкома,
его крылечко с кимовской звездой.

Я шла на фронт сквозь детство – той дорогой,
которой в школу бегала давно.
Я шла сквозь юность,
                    сквозь ее тревогу,
сквозь счастие свое – перед войной.

Я шла сквозь хмурое людское горе –
пожарища,
          развалины,
                    гробы...
Сквозь новый,
              только возникавший город,
где здания прекрасны и грубы.

Я шла сквозь жизнь, сведя до боли пальцы.
Твердил мне путь давнишний и прямой:
– Иди. Не береги себя. Не сжалься,
не плачь, не умиляйся над собой.

The Road to the Battle Front

...We walked along towards the battle front,
familiar streets passed by us like a dream:
here stands our family home, our wooden fence,
here loomed a noisy, friendly maple tree.

He'd stretch his glossy branches through
our windows when the cool spring morning swelled.
But as this dark and coldest winter drew
like many men, green friend, you died as well.

The windows of the deadened house, my nest,
gape out like you and I were never there.
Old city hall, porch with the Kimovsk crest:
all down to ruins, desolate and bare.

I walked along across my childhood,
the road where I had run to school before.
I walked across my youth
with its disquietude,
across my happiness – before the war.

I walked across the suffering of many
fires,
wreckage,
graves...
across a recent
just created city,
Where stand its buildings, rough and great.

I walked across it all, my fingers clenched,
and said to me the endless path of life:
'Go on. Don't ever try to save yourself.
Do not take pity on yourself and cry.'

И вот – река,
лачуги,
ветер жесткий,
челны рыбачьи, дымный горизонт,
землянка у газетного киоска –
наш
ленинградский
неприступный фронт.

Да. Знаю. Все, что с детства в нас горело,
все, что в душе болит, поет, живет,–
все шло к тебе,
торжественная зрелость,
на этот фронт у городских ворот.

Ты нелегка – я это тоже знаю,
но все равно – пути другого нет.
Благодарю ж тебя, благословляю,
жестокий мой,
короткий мой расцвет,

за то, что я сильнее, и спокойней,
и терпеливей стала во сто крат
и всею жизнью защищать достойна
великий город жизни – Ленинград.

Май 1942

And so – the river,
shanties,
the bitter wind,
the fishermen's boats, smoky horizon.
a simple dugout by a newsstand –
our own
impregnable
Leningrad front line

Yes. I know. All that we cried, survived, exulted,
all that burned within us as we came of age,
all lead to you
our march into adulthood
On these front lines at our city's gates.

You are not gentle – I know this too,
but all the same – there is no other way.
And so I thank and sanctify you
my cruel
briefly blooming heyday

for all my strength and my composure steady
for giving me a patience unsurpassed
now that I am worthy of defending
the great city of life – my Leningrad.

May 1942

Я знала мир без красок и без цвета

Я знала мир без красок и без цвета.
Рукой, протянутой из темноты,
нащупала случайные приметы,
невиданные, зыбкие черты.

Так, значит, я слепой была от роду,
или взаправду стоило прийти
ко мне такой зиме, такому году,
чтоб даже небо снова обрести...

1945

I knew a world without paint or colour

I knew a world without paint or colour.
In the darkness, I fumbled around
and touched its accidental features,
its unseen and unsteady traits.

I must have been blind from birth,
or it really had to come back
to me in such a winter, such a year
so I could imagine reclaiming the sky...

1945

Анна Ахматова в 1941 году в Ленинграде

У Фонтанного дома, у Фонтанного дома,
у подъездов, глухо запахнутых,
у резных чугунных ворот
гражданка Анна Андреевна Ахматова,
поэт Анна Ахматова
на дежурство ночью встает.

На левом бедре ее
тяжелеет, обвиснув, противогаз,
а по правую руку, как всегда, налегке,
в покрывале одном,
приоткинутом
над сиянием глаз,
гостья милая – Муза
с легкою дудочкою в руке.
А напротив, через Фонтанку, –
немые сплошные дома,
окна в белых крестах. А за ними ни искры,
ни зги.
И мерцает на стеклах
жемчужно-прозрачная тьма.
И на подступах ближних отброшены
снова враги.
О, кого ты, кого, супостат, захотел
превозмочь?
Или Анну Ахматову,
вставшую у Фонтанного дома,
от Армии невдалеке?
Или стражу ее,
ленинградскую белую ночь?
Или Музу ее со смертельным оружьем,
с легкой дудочкой в легкой руке?

1970 или 1971

Anna Akhmatova, Leningrad 1941

At her Fontanka home, at her Fontanka home,
the entranceway closed shut,
at the ornate iron gate,
the citizen Anna Andreevna,
the poet Anna Akhmatova
stands guard all night.

Heavy on her left
hangs her gasmask.
And on her right, light as ever, stands
below a veil
uncovering just
her shining eyes.
Her dear guest – the Muse
with nimble flute in hand.
Across the way on the Fontanka, –
the silent buildings hulk,
white crosses of the windows, no light inside,
pitch black.
And the panes are glinting
in the pearly dark.
And again the enemy's approach
gets pushed back.
Oh who, you villain, were you trying to
outmatch?
Was it Akhmatova
standing by the Army
at her Fontanka home?
Was it the watchful summer night
of immortal Leningrad?
Or was it the Muse with her deadly weapon,
her nimble flute in nimble hand?

1970–71

Желание

Я давно живу с такой надеждой:
Вот вернется
            город Пушкин к нам, –
Я пешком пойду к нему, как прежде
Пилигримы шли к святым местам.

Незабытый мною, дальний-дальний,
Как бы сквозь войну обратный путь,
Путь на Пушкин, выжженный, печальный,
Путь к тому, чего нельзя вернуть.

Милый дом с крутой зеленой крышей,
Рядом липы круглые стоят...
Дочка здесь жила моя, Ириша,
Рыжеватая была, как я.

Все дорожки помню, угол всякий
В пушкинских таинственных садах:
С тем, кто мной доныне не оплакан,
Часто приходила я сюда.

Я пешком пойду в далекий Пушкин
Сразу, как узнаю – возвращен.
Я на черной парковой опушке
Положу ему земной поклон.

Кланяюсь всему, что здесь любила.
Сердце, не прощай, не позабудь! –
Кланяюсь всему, что возвратила,
трижды – тем, кого нельзя вернуть.

Ноябрь 1943

A wish

I have long lived with the tender hope
that the town of Pushkin
 will be ours again.
I would set off there on foot,
A pilgrimage to our holy site.

I have forgotten the road that leads there.
It runs as if returning down the warpath:
the road to Pushkin is burned down,
the road to what we can never get back.

That dear house, its roof green and steep,
surrounded by a ring of linden trees...
My daughter Irisha used to live here.
She was a redheaded, just like me.

Here I remember every little path,
every corner of these gardens:
I used to come here with
all those I have yet to mourn.

The moment I learn we've won it back,
I will walk to far-away Pushkin on foot.
By the black edge of the woods
I will give that town a deep bow.

I'll bow to all I have loved here.
My heart will never forget!
I'll bow to everything that has returned,
and thrice – to those not brought back.

November 1943

Стихи о друге

Вечер. Воет, веет ветер,
 в городе темно.
Ты идешь – тебе не светит
 ни одно окно.
Слева – вьюга, справа – вьюга,
 вьюга–в высоте...
Не пройди же мимо друга
 в этой темноте.
Если слышишь – кто-то шарит,
 сбился вдруг с пути,–
не жалей, включи фонарик,
 встань и посвети.
Если можешь, даже руку
 протяни ему.
Помоги в дороге другу,
 другу своему,
и скажи: «Спокойной ночи,
 доброй ночи вам...»
Это правильные очень,
 нужные слова.
Ведь еще в любой квартире
 может лечь снаряд,
и бушует горе в мире
 третий год подряд.
Ночь и ветер, веет вьюга,
 смерть стоит кругом.
Не пройди же мимо друга,
 не забудь о нем...

31 декабря 1943

Verses on a Friend

Evening. Howling, blowing wind.
The pitch-black city.
You are walking, without the light
from any window.
Snow over here, snow over there,
storm all heavens...
Don't just pass by your friend
in this darkness.
If you hear – someone rustling,
lost off the path,
take your torch, don't be stingy
and shine some light.
Stretch your hand out to him.
and if you can,
help your friend to find the path,
help your friend
and say: 'I wish you a good night.
Please get some sleep.'
These words will be just right,
the words he needs.
You know, at any time, on any flat,
a shell could fall.
This world, for three years straight,
has burned like hell.
The snow storm blowing, wind and night,
the realm of death.
Don't just let your friend pass by
don't forget him...

31 December 1943

О древнее орудие земное

О древнее орудие земное,
лопата, верная сестра земли,
какой мы путь немыслимый с тобою
от баррикад до кладбища прошли!

Мне и самой порою не понять
всего, что выдержали мы с тобою.
Пройдя сквозь пытки страха и огня,
мы выдержали испытанье боем.

И каждый, защищавший Ленинград,
вложивший руку в пламенные раны.
не просто горожанин, а солдат,
по мужеству подобный ветерану.

Oh ancient instrument of the earth

Oh ancient instrument of the earth,
oh shovel, true sister of the ground,
we travelled inconceivably far
from barricades to the graveyard.

At times I myself can't understand
everything that we have been through.
We've walked through fear and fire,
endured the trials of battle.

And everyone who has defended Leningrad
and put their hand into its flaming wounds,
is not just a citizen, but stands a soldier,
an equal in fortitude to any veteran.

29 января 1942

Памяти друга и мужа Николая Степановича Молчанова

Отчаяния мало. Скорби мало.
О, поскорей отбыть проклятый срок!
А ты своей любовью небывалой
меня на жизнь и мужество обрек.

Зачем, зачем?
Мне даже не баюкать,
не пеленать ребенка твоего.
Мне на земле всего желанней мука
и немота понятнее всего.

Ничьих забот, ничьей любви не надо.
Теперь одно всего нужнее мне:
над братскою могилой Ленинграда
в молчании стоять, оцепенев.

И разве для меня победы будут?
В чем утешение себе найду?!
Пускай меня оставят и забудут.
Я буду жить одна – везде и всюду
в твоем последнем пасмурном бреду...

29 January 1942

in memory of friend and husband Nikolai Stepanovich Molchanov

Despair and sorrow aren't enough
to get this cursed sentence over with!
Because you and your impossible love
have condemned me to life and fortitude.

Why?
I can't even rock your child
to sleep or swaddle him.
On this earth, suffering is what I want most,
and silence is most understandable.

I don't need nobody's love or care.
The only thing I need is
to stand above the mass grave
at Leningrad in silence, unmoving.

Will there be victory for me?
Where can I find some relief?!
Just leave me and forget me here.
I'll go on living – alone and everywhere
in my final gloomy ravings...

Но ты хотел, чтоб я живых любила.
Но ты хотел, чтоб я жила. Жила
всей человеческой и женской силой.
Чтоб всю ее истратила дотла.
На песни. На пустячные желанья.
На страсть и ревность – пусть придет другой.
На радость. На тягчайшие страданья
с единственною русскою землей.

Ну что ж, пусть будет так...

Конец января 1942

But you called on me to love the living.
You wanted me to live, to live
as a human, as a woman can.
To use up every last fibre.
For songs. For meaningless desires.
For passion, jealousy – for another man...
For the best. For the heaviest sufferings
of the only standing Russian land.

Well then, let it be so...

end of January 1942

Блокадная ласточка

Весной сорок второго года множество ленинградцев носило на груди жетон – ласточку с письмом в клюве.

Сквозь года, и радость, и невзгоды
вечно будет мне сиять одна
та весна сорок второго года,
в осажденном городе весна.

Маленькую ласточку из жести
я носила на груди сама.
Это было знаком доброй вести,
это означало – "Жду письма".

Этот знак придумала блокада.
Знали мы, что только самолет,
только птица к нам, до Ленинграда,
с милой-милой родины дойдет.

...Сколько писем с той поры мне было!
Отчего же кажется самой,
что доныне я не получила
самое желанное письмо...

Чтобы к жизни, вставшей за словами,
к правде, влитой в каждую строку,
совестью припасть бы, как устами
в раскаленный полдень – к роднику.

Кто не написал его, не выслал?
Счастье ли? Победа ли? Беда?
Или друг, который не отыскан
и не узнан мною навсегда?

Blockade Swallow

In the spring of 1942, many citizens of Leningrad wore a token on their chests – a swallow with a letter in its beak.

Through all the years and joys, misfortunes,
that spring of nineteen-forty-two
inside the city under siege
will forever shine with me.

Alone I carried by my heart
a little swallow made of tin.
It was a token of good news,
my way of saying – 'write back soon.'

We came up with it during the blockade.
For us it was the only airplane,
the only bird come from the homeland
that could reach our Leningrad.

...While I've got letters since,
why can't I shake the feeling
I still haven't got
the letter waited longest for?

A letter whose every line,
every word overflows with life,
a letter so crisp and nourishing,
a welcome stream at blistering noon.

Who never got around to sending it?
Would it tell of victory or defeat?
Is it from a friend we've lost,
a friend that I may never meet?

Или где-нибудь доныне бродит
то письмо, желанное, как свет?
Ищет адрес мой и не находит
и, томясь, тоскует: где ж ответ?

Или близок день, и непременно
в час большой душевной тишины
я приму неслыханной, нетленной
весть, идущую еще с войны...

О, найди меня, гори со мною,
ты, давно обещанная мне
всем, что было, – даже той смешною
ласточкой, в осаде, на войне...

1946

Or is that letter, welcome as the light,
still somewhere, wandering around
still looking for my address
and worrying: when will she write back?

Or is that day near at hand – when
at an hour of great quiet in my soul,
I will receive the unheard, undying
news from a still ongoing war?

Oh find me, come and burn by me
as was promised to me long ago
by all that was – even that silly
swallow – all that was during the war...

1946

К песне

Очнись, как хочешь, но очнись во мне –
в холодной, онемевшей глубине.

Я не мечтаю – вымолить слова.
Но дай мне знак, что ты еще жива.

Я не прошу надолго – хоть на миг.
Хотя б не стих, а только вздох и крик.

Хотя бы шепот только или стон.
Хотя б цепей твоих негромкий звон.

1951

To Song

Awake as you see fit, but wake in me,
within my cold, benumbed deep.

I do not dream that words will then arise.
But give some sign that you are still alive

To ask for very much I do not try.
If not a verse, at least a scream, a sigh.

At least a whisper or a moan of pain.
At least the quiet clinking of your chain.

1951

Н.М.

Мне не поведать о моей утрате...
Едва начну – и сразу на уста
в замену слов любви, тоски, проклятий
холодная ложится немота.

Мне легче незнакомых, неизвестных,
мне легче мир оплакать, чем тебя.

И все, что говорю, – одни подобья,
над песней неродившейся надгробье...

1945

N.M.

I cannot tell you of my loss...
I barely start – but instead
of words for love and curses
my lips are frosted over in silence.

It's easier grieving for those unknown,
for the whole world, than grieving for you.

And everything I say is but a likeness
of a song unborn, its tombstone.

1945

Измена

Не наяву, но во сне, во сне
я увидала тебя: ты жив.
Ты вынес все и пришел ко мне,
пересек последние рубежи.

Ты был землею уже, золой,
славой и казнью моею был.
Но, смерти назло
 и жизни назло,
ты встал из тысяч
 своих могил.

Ты шел сквозь битвы, Майданек, ад,
сквозь печи, пьяные от огня,
сквозь смерть свою ты шел в Ленинград,
дошел, потому что любил меня.

Ты дом нашел мой, а я живу
не в нашем доме теперь, в другом,
и новый муж у меня – наяву...
О, как ты не догадался о нем?!

Хозяином переступил порог,
гордым и радостным встал, любя.
А я бормочу: «Да воскреснет бог»,
а я закрещиваю тебя
крестом неверующих, крестом
отчаянья, где не видать ни зги,
которым закрещен был каждый дом
в ту зиму, в ту зиму, как ты погиб...

О друг,– прости мне невольный стон:
давно не знаю, где явь, где сон...

1946

Infidelity

It was a dream, a dream
I saw: you were alive
through it all you came to me,
having crossed the final border line.

Already, you had become the ash, the earth
become my glory and my gallows,
but to spite death
            to spite life,
you rose from
             your thousand graves.

You walked through battles, Majdanek, hell
through the ovens, drunk with flame,
though your own death, you walked to Leningrad,
and made it there because you love me.

You found our old home, but I am living
there no more, I've moved house
with a new husband – really...
did you not think of that?!

As the master you passed the doorstep,
and stood there, proud and joyous and in love.
That sent me muttering: 'The Lord shall rise,'
making the sign of the cross,
the cross of disbelief, the cross
of desperation, when all went dark,
the cross that touched on every house,
that winter, that winter when you died...

Oh friend – forgive me, I can't help but moan:
can't tell my dreams from waking anymore.

1946

Евгению Львовичу Шварцу

1

Не только в день этот праздничный
в будни не позабуду:
живет между нами сказочник,
обыкновенное Чудо.

И сказочна его доля,
и вовсе не шестьдесят
лет ему – много более!
Века-то летят, летят...

Он ведь из мира древнейшего,
из недр человеческих грез
свое волшебство вернейшее,
слово свое нежнейшее
к нашим сердцам пронес.

К нашим сердцам, закованным
в лед (тяжелей брони!),
честным путем, рискованным
дошел,
растопил,
приник.

Но в самые темные годы
от сказочника-поэта
мы столько вдохнули свободы,
столько видали света.
Поэзия – не стареется.
Сказка – не «отстает».
Сердце о сказку греется,
тайной ее живет.

To Yevgeny Lvovich Shvartz

1

Not only on this special day,
I will celebrate this every day:
among us lives a storyteller,
an ordinary miracle himself.

His fate is straight from a storybook,
and he's not turning sixty
Today – he's much, much older,
marking centuries, not years...

As if coming from an ancient world,
from the depths of our dreams
his magic spells the surest,
his wise words the gentlest,
he has given it all to our hearts.

To our hearts, trapped beneath
ice heavier than armour.
following an honest, risky path,
he made it,
thawed us out,
and nestled close.

And in those very years of gloom,
thanks to our dear storyteller-poet,
we had breathed in so much freedom.
we had seen so much light.
Poetry – never grows old.
the tale – never 'stalls,'
warming up the heart
that nestles to its secrets.

Есть множество лживых сказок, –
нам ли не знать про это!
Но не лгала ни разу
мудрая сказка поэта.
Ни словом, ни помышлением
она не лгала, суровая.
Спокойно готова к гонениям,
к народной славе готовая.

Мы день твой с отрадой празднуем,
нам день твой и труд – ответ,
что к людям любовь – это правда.
А меры для правды нет.

21 октября 1956

2

Простите бедность этих строк,
но чем я суть их приукрашу?
Я так горжусь, что дал мне бог
поэзию и дружбу Вашу.
Неотторжимый клин души,
часть неплененного сознанья,
чистейший воздух тех вершин,
где стало творчеством – страданье,
вот надо мною Ваша власть,
мне все желаннее с годами...
На что бы совесть оперлась,
когда б Вас не было меж нами?!

21 октября 1957

There are many deceitful tales –
preaching to the choir!
But in all his wise fables
he never told a lie,
never, not one thought or word.
His tales stayed true and stern,
prepared for persecution,
prepared for all the laurels.

We gladly take this day for you.
Your days and ways all tell us
that love for others is the truth,
and truth is always boundless.

21 October 1956

2

Forgive these lines their paucity
but can I pretty up their message?
For I thank god for sending me
your poetry and friendship.
The soul's unalienable wedge
in an unimprisoned consciousness,
the purest air at those heights
where suffering – turns into art –
This is your influence on me,
more welcome by the year...
and who will be our conscience
if you are not among us?!

21 October 1957

Я никогда не напишу такого

Я никогда не напишу такого
В той потрясенной, вещей немоте
ко мне тогда само являлось слово
в нагой и неподкупной чистоте.

Уже готов позорить нашу славу,
уже готов на мертвых клеветать
герой прописки
    и стандартных справок...

Но на асфальте нашем –
след кровавый,
не вышаркать его, не затоптать...

1946

I will never write something like this

I will never write something like this.
In my silence prophetic, shaken,
that's when the word appears,
forever pure and naked.

He's already set to tarnish our glory,
he's already set to slander all the dead,
that desk lamp hero
    signing documents...

but in our asphalt seeps
            a bloody trace
that we can never sit down to erase.

1946

Здесь лежат ленинградцы.

Здесь лежат ленинградцы.
Здесь горожане – мужчины, женщины, дети.
Рядом с ними солдаты-красноармейцы.
Всею жизнью своею
они защищали тебя, Ленинград,
колыбель революции.
Их имен благородных мы здесь перечислить не сможем,
так их много под вечной охраной гранита.
Но знай, внимающий этим камням,
никто не забыт и ничто не забыто.

В город ломились враги, в броню и железо одеты,
но с армией вместе встали
рабочие, школьники, учителя, ополченцы.
И все, как один, сказали они:
«Скорее смерть испугается нас, чем мы смерти».
Не забыта голодная, лютая, темная
зима сорок первого – сорок второго,
ни свирепость обстрелов,
ни ужас бомбежек в сорок третьем,
Вся земля городская пробита.

Ни одной вашей жизни, товарищи, не позабыто.
Под непрерывным огнем с неба, с земли и с воды
подвиг свой ежедневный
вы свершали достойно и просто,
и вместе с отчизной своей
вы все одержали победу.

Так пусть же пред жизнью бессмертною вашей
на этом печально-торжественном поле
вечно склоняет знамена народ благодарный,
Родина-мать и город-герой Ленинград.

1956

Here lie the citizens of Leningrad

Here lie the citizens of Leningrad.
Here lie the city folk – men, women, children.
Beside them Red Army soldiers.
With all their being
they defended you, Leningrad,
cradle of the revolution.
We cannot list all of their noble names here,
as too many lie under the eternal protection of granite.
But may all looking upon this stone know that
no one is forgotten, and nothing forgot.

Enemies rushed the city, clad in armour and iron.
But the Red Army was swiftly joined
by workers, schoolchildren, teachers, the home guard.
And they all spoke as one:
'Death will surely fear us more than we'll fear death.'
The hungry, cruel, and dark winter
forty-one to forty-two will never be forgotten,
nor the fierce artillery fire,
nor the horrors of the bombing in forty-three.
The ground beneath the city lies pierced and broken.

Not a single life, comrades, will be forgotten.
Under the ceaseless fire from the heavens, earth, and waters,
you carried out with simple dignity
your daily heroism,
and together with your homeland
you are all victorious.

So may the thankful peoples bow their standards
on this sombrely triumphant field
before your eternal life,
motherland and hero-city Leningrad.

1956

На асфальт расплавленный похожа

На асфальт расплавленный похожа
память ненасытная моя:
я запоминаю всех прохожих,
каждое движенье бытия...
След колес, железных и зубчатых, –
ржавый след обиды и тоски.
Рядом птичий милый отпечаток –
дочери погибшей башмачки.
Здесь друзья чредою проходили.
Всех запоминала – для чего?
Ведь они меня давно забыли,
больше не увижу никого.
Вот один прошел совсем по краю.
Укоризны след его темней.
Где-то он теперь живет? Не знаю.
Может, только в памяти моей.
В наказание такую память
мне судьба-насмешница дала,
чтоб томило долгими годами
то, что сердцем выжжено дотла.
Лучше б мне беспамятство, чем память,
как асфальт расплавленный, как путь, –
вечный путь под самыми стопами:
не сойти с него, не повернуть...

Октябрь 1939

This quenchless memory of mine

This quenchless memory of mine
is like the asphalt molten
I remember every passerby
and being's every motion...
The prints of wheels with metal spurs –
resentment's, yearning's rusty grooves.
Beside them marks left by a bird –
my dead daughter's little shoes.
Here have passed a line of friends.
I've kept them all – what for?
They have forgotten me already,
and I won't see them anymore.
There, up to the edge an old friend goes,
a reproachful footprint left behind.
Where's he living now? I do not know.
Maybe only in this memory of mine.
Sent from mocking fate to last,
a memory like mine is but a bane.
So all my heart has burnt to ash
will return for years to bring me pain.
Better to forget than to remember
as the asphalt molten, as the way
without end, where you cannot meander
from which you can't escape or stray.

October 1939

Стихи о себе

...И вот в послевоенной тишине
к себе прислушалась наедине.

Какое сердце стало у меня,
сама не знаю, лучше или хуже:
не отогреть у мирного огня,
не остудить на самой лютой стуже.

И в черный час зажженные войною,
затем, чтобы не гаснуть, не стихать,
неженские созвездья надо мною,
неженский ямб в черствеющих стихах...

...И даже тем, кто все хотел бы сгладить
в зеркальной, робкой памяти людей,
не дам забыть, как падал ленинградец
на желтый снег пустынных площадей.

И как стволы, поднявшиеся рядом,
сплетают корни в душной глубине
и слили кроны в чистой вышине,
даря прохожим мощную прохладу, –
так скорбь и счастие живут во мне –
единым корнем – в муке Ленинграда,
единой кроною – в грядущем дне.

И все неукротимей год от года,
к неистовству зенита своего
растет свобода сердца моего –
единственная на земле свобода.

1945

Verses about Myself

...alone in this post-war silence,
I leaned in, to listen to myself.

How much my heart has changed
I do not know – for better or for worse
I cannot thaw it by a friendly fire,
I cannot chill it in a winter storm.

In that dark hour, the war ignited them
and even now they can't be blown away:
Unwomanly the stars above my head,
unwomanly my iambs growing stale.

...and those that want to just smooth over
the timid mirror of our memory,
I won't let them forget how our citizens
fell to the yellow snow of empty squares.

And as two tree-trunks reach the sky
their roots intwining in the stuffy deep,
their crowns as one at those pure heights
giving passers by a mighty shade,
so live both grief and joy within me –
a single root – the pain of Leningrad,
a single crown – the coming day.

And growing stronger by the year
up to a frenzy at its peak,
my freedom grows within my heart,
the only freedom on this earth.

1945

Надежда

Я все еще верю, что к жизни вернусь, –
однажды на раннем рассвете проснусь.
На раннем, на легком, в прозрачной росе,
где каплями ветки унизаны все,
и в чаше росянки стоит озерко,
и в нем отражается бег облаков,
и я, наклоняясь лицом молодым,
смотрю как на чудо на каплю воды,
и слезы восторга бегут, и легко,
и виден весь мир далеко-далеко...
Я все еще верю, что раннее утро,
знобя и сверкая, вернется опять
ко мне – обнищавшей,
безрадостно-мудрой,
не смеющей радоваться и рыдать...

1949

A hope

I still believe that I'll return to life,
I will awake one early sunrise.
I will awake in the clear dew,
below the branches full with droplets.
Amid a sundew thicket sits a lake,
reflecting the running clouds.
And I will bring my young face close
and see the droplet as a wonder,
and, tears of rapture running easy,
the whole wide world will be visible...
I still believe that this early morning,
full of shivers and glimmering
will return – to impoverished me,
                                                            joylessly wise,
never daring to rejoice or cry...

1949

Обещание

...Я недругов смертью своей не утешу,
чтоб в лживых слезах захлебнуться могли.
Не вбит еще крюк, на котором повешусь.
Не скован. Не вырыт рудой из земли.
Я встану над жизнью бездонной своею,
над страхом ее, над железной тоскою...
Я знаю о многом. Я помню. Я смею.
Я тоже чего-нибудь страшного стою...

1952

A promise

...I will not cheer my enemies by dying
so that they choke on lying tears.
My noose's hook has not been hammered in,
or even forged, its ore still in the earth.
And I will rise above my pit-less life,
above its iron anguish, its fear
I know of much. I remember. I dare.
I too am worthy of something terrifying...

В порядке дискуссии

Ну и диво!
Сколько поэтов
навострилось писать... ни о чем.
Есть про то, бывает об этом,
подпирают н и ч т о плечом.
Кто моложе – тот в геологию
ударяется: поле, маршрут,
комары, посланья с дороги ей...

Всё — правдиво,
а в общем – врут.
Кто солидней – тот в размышления
погружается всем челом:
кое-где, мол, бывает тление,
даже смерть... А вот мы – живем!
Виртуозы есть, упоенные,
что не схожи фигуркой с другими.
Всё опишут, самовлюбленные, –
только дайте пройтиться нагими!

Ну, а некоторым подарено
дико-творческое раздолье:
может (с пафосом) – про Гагарина,
тут же вдруг – о вреде траваполья.

While we're on the subject

My oh my!
All these poets
with a knack for writing... about nothing.
Some on this, some on that,
holding up their nothing proudly.
The younger ones take up geology
with gusto: the field, the path,
mosquitos, letters home to girlfriends...

Everything is truthful,
but still – a bunch of lies.
Those more respectable dive
into contemplation brows first:
think of all the withering out there,
all the death... but we're alive!
There are those woozy virtuosos,
shaped different from the rest.
They just love to expose it all,
strutting about, all self-obsessed!

And then there are those gifted with
far-reaching imagination:
one moment they exalt Gagarin,
the next, criticize our crop rotation.

И текут слова бесконечные...
Всем такие стишки хороши,
всё на месте...
                                        И нет человеческой
неразменной судьбы – души.

Как люблю вас, мои нераздельные,
Антокольский,
                                        Твардовский,
                                                                        Светлов,
ограничившиеся беспредельностью
лишь немногих насущных слов...

1962

Their words are flowing endlessly...
everyone delighting in their rhyming,
everything in place

but no humanity,
no boundless fate – no soul inside them.

Oh, I love you with a passion,
Antokolsky,

Tvardovsky,

Svetlov,
limiting yourselves with the vastness
of a few essential words.

1962

Ответ

А я вам говорю, что нет
напрасно прожитых мной лет,
ненужно пройденных путей,
впустую слышанных вестей.
Нет невоспринятых миров,
нет мнимо розданных даров,
любви напрасной тоже нет,
любви обманутой, больной,
ее нетленно чистый свет
всегда во мне,
всегда со мной.

И никогда не поздно снова
начать всю жизнь,
начать весь путь,
и так, чтоб в прошлом бы – ни слова,
ни стона бы не зачеркнуть.

1952, 1960

Answer

And I'm telling you there are no
years that I have lived in vain,
no paths I didn't need to take,
no news I should not have heard.
There are no worlds unperceived,
no wrongly given gifts.
There is no futile love,
even the love betrayed and sick, –
its undyingly pristine light
always within me,
always by me.

And it's never too late to begin
your life anew,
your path again,
and to begin it so there wouldn't be
a word or moan to cross out.

1952, 1960

Судьбе

Раскаиваться? Поздно. Да и в чем?
В том, что не научилась лицемерить?
Что, прежде чем любить, и брать, и верить,
не спрашивала, как торгаш, – «почем?»

Ты так сама учила... Как могла
помыслить, что придешь заимодавцем,
что за отказ – продать и распродаться –
отнимешь всё и разоришь дотла.

Что ж, продавай по рыночной цене
всё то, что было для души бесценно.
Я всё равно богаче и сильней
и чище – в нищете своей надменной.

Конец 40-х

To fate

Repent? Too late. What are my sins?
That I didn't learn to be a hypocrite?
That in loving, taking, and believing
I didn't ask the market price?

You taught me this... how could I expect
you to come as moneylender,
and when I refused to sell out,
you ruined me, you took everything.

Well then, sell at market price
all that was priceless to my soul.
I am still richer, stronger inside,
and purer – though I am poor.

late 1940s

Тот год

И я всю жизнь свою припоминала,
и все припоминала жизнь моя
в тот год, когда со дна морей, с каналов
вдруг возвращаться начали друзья.

Зачем скрывать – их возвращалось мало.
Семнадцать лет – всегда семнадцать лет.
Но те, кто возвращались, – шли сначала,
чтоб получить свой старый партбилет.

Я не прибавлю к этому ни звука,
ни стона даже: заново живем.
Ну что ж еще? Товарищ, дай мне руку!
Как хорошо, что мы опять вдвоем.

1955

That year

And all my life I will remember
and life will never let me forget
that year when, from the bottom of sea,
my friends started coming back to me.

Can't lie – there were not many to return,
Seventeen years – seventeen years.
But those that did come back went first
to reclaim their old party card.

To this I would not add a sound,
not even a moan: a life begun afresh.
well, my comrade, give me your hand!
How good to be together again.

1955

Бабье лето

Есть время природы особого света,
неяркого солнца, нежнейшего зноя.
Оно называется
бабье лето
и в прелести спорит с самою весною.

Уже на лицо осторожно садится
летучая, легкая паутина...
Как звонко поют запоздалые птицы!
Как пышно и грозно пылают куртины!

Давно отгремели могучие ливни,
всё отдано тихой и темною нивой...
Всё чаще от взгляда бываю счастливой,
всё реже и горше бываю ревнивой.

О мудрость щедрейшего бабьего лета,
с отрадой тебя принимаю... И всё же,
любовь моя, где ты, аукнемся, где ты?
А рощи безмолвны, а звезды всё строже...

Вот видишь – проходит пора звездопада,
и, кажется, время навек разлучаться...
...А я лишь теперь понимаю, как надо
любить, и жалеть, и прощать, и прощаться.

1956, 1960

Indian Summer

There is a season of a special light:
The sun is not too bright, the heat tender.
They call it
                    Indian summer,
and it is lovelier than spring itself.

Now a light, flying spiderweb
is carefully landing on your face...
The ringing song of birds delayed!
The regal blaze of flowerbeds!

Long have passed the mighty downpours,
everything is given to the dark and quiet fields.
more often a simple gaze brings joy,
more rarely I feel pangs of bitter jealousy.

Oh the wisdom of the generous Indian summer,
I gladly embrace you...but even so,
where are you, my love, say something:
the groves are silent, the stars growing stern...

You see – the time for shooting stars draws near,
the time, it seems, for parting ways forever...
...and only now I can finally see how
to love and pity, to forgive and farewell....

1956, 1960

Лисица

Скрылся месяц за темной трубой,
и не видно его на дворе...
Выпил свет его снег голубой,
потому и двор в серебре...
От крыльца до зеленой звезды
вьется луч, как тонкая нить...
...Ах, для радости нет узды,
да и буйства не схоронить!..
И, дрожа, я сбегаю с крыльца
и, смеясь, катаюсь в снегу...
Ни волос, ни рук, ни лица
от пушистого не берегу...
...А потом отряхнусь пред дверьми –
чтоб матери не дивиться...
Люди были когда-то зверьми;
я, наверно, была лисицей...

Октябрь 1926

The Fox

The moon has slid behind the vent tonight,
I cannot see it on the grounds...
The blue snow has drunk its light,
that's why the yard is silver now...
A beam as thin as string
runs from the porch to the green star...
...Oh, for joy there is no rein,
unruliness sweeps every heart!...
and shivering, off the porch I race
roll around in the snow with glee...
all in my hair, my hands, my face –
the fluffy mess can't bother me...
...and at the door, so mom won't ask,
I shake it off before I knock...
If man were beast deep in the past,
back then I surely was a fox...

October 1926

Acknowledgements

Translation calls attention to the inherent plurality of artistic creation – though Olga Berggolts' voice is singular and palpability felt in all her poems, carrying her work into English was anything but a solitary endeavour. First and foremost, I would like to thank my parents for inspiring my love of Russian literature and for graciously accepting my early childhood experiments in translation as birthday presents. I thank Ronald Meyer as my first translation mentor for showing me that a career in literary translator was a possibility. I would also like to acknowledge Robert Chandler for directing me to the incredible opportunity of translating Berggolts into English and for his translation workshops in London 2018–19. Translation workshops with Fiona Bell, Alex Braslavksy, Helena Kernan, and Kat Wood were invaluable for revising early drafts of Berggolts' poems and making sure that her intonation shone through every word I chose. Finally, I would like to thank my grandmother Inna Persina, to whom this volume is dedicated.